spreeuw
golfplaat
laagje sneeuw
kompas
N
W
O
Z
straling

AVI:	M4
Leesmoeilijkheid:	woorden waar eeuw of ieuw in zit (sneeuwpop, nieuw)
Thema:	katten

n Zwijsen

Anton van der Kolk
De kattenkrant

met tekeningen van Marja Meijer

Bikkels

Naam: *Alex*

Ik woon met: *Pluis en Charlie en mijn ouders*

Dit doe ik het liefst: *spelen met en kijken naar mijn katten*

Hier heb ik een hekel aan: *mensen die niet aardig voor dieren zijn*

Later word ik: *dierenarts*

In de klas zit ik naast: *Floor*

1. Je neus achterna

Alex zit op de bank.
Pluis en Charlie liggen naast hem.
Pluis is een oude lapjeskat.
Charlie is een jong katje van een jaar.
Alex leest in een boek.
Het gaat over katten.
Na de vakantie moet hij
een spreekbeurt houden.
Een onderwerp had hij al snel: katten.
Alex praat graag met zijn katten.
Kijk, dat gaat zo:

'Moet je horen,' zegt Alex.
Pluis en Charlie kijken op.
'Weten jullie dat katten nooit verdwalen?
Hoor maar, hier staat het.'
Alex leest:
'Een kat heeft een soort kompas
in zijn kop.
Hij heeft een sterk gevoel voor richting.
Dat hebben duiven ook.'
'Dat is voor ons niets nieuws,'
bromt Pluis.
'Nee,' zegt Charlie, 'vertel ons wat.'

‘Ze hebben wel eens een kat
in een zak gestopt,’ zegt Alex.
‘Hij kon dus niets zien.
Ze brachten hem heel ver weg.
Daar lieten ze hem weer los.
Hij liep zo terug naar huis.
Knap, hè?’
Pluis en Charlie gapen.
‘Vertel eens wat nieuws,’ zegt Pluis.
‘Voor mij is het wel nieuw,’ zegt Alex.
‘Niemand snapt hoe een kat dat doet.
Hij let op de stand van de zon.
Of op straling onder de grond.
Maar niemand weet het zeker.’
Alex kijkt op van zijn boek.
‘Hoe doen jullie dat toch?’ vraagt hij.
‘Ach,’ zegt Pluis, ‘geen kunst aan.
Je loopt gewoon je neus achterna.’
‘Ja, ja,’ zegt Alex.
‘Als ik mijn neus achterna loop,
verdwaal ik.’
‘Ja, jij!’ zegt Pluis.
‘Ja,’ zegt Charlie, ‘jij wel!’
Het is alsof Alex zijn katten hoort lachen.

KATTEN

2. Nieuws uit de buurt

'Weet je wat ik doe,' zegt Alex.
'Ik ga een krant maken.
Een krant over katten.
Daarin schrijf ik verhalen
over Pluis en Charlie.
Na mijn spreekbeurt
geef ik elk kind een krant.'
Alex gaat aan de slag.
'Wat doe je?' vraagt Charlie.
'Ik maak een krant over jou en Pluis,'
zegt Alex.
'Wat is een krant?' vraagt Charlie.
Alex legt het uit.
'O,' zegt Charlie.
'In een krant staat nieuws.'
'Ja,' zegt Alex.
'Dat doen wij heel anders,' zegt Charlie.
'Weet je hoe wij aan nieuws komen?'
'Nee,' zegt Alex, 'vertel maar.'
Charlie vertelt en vertelt.
Als hij klaar is, zegt Alex:
'Dat is een mooi verhaal voor de krant.'
Alex schrijft alles op
wat Charlie hem heeft verteld.

Dit is het verhaal voor de kattenkrant:

Charlie loopt op het dak van de schuur.
Hij ruikt aan een plank.
Aha, denkt hij, hier is Eenoor geweest.
Die heeft zijn boodschap achtergelaten.
Eenoor is een zwarte kater.
Alle katten in de buurt
zijn bang voor hem.
Hij is een echte vechter.
Bij een van zijn gevechten is hij
een oor kwijtgeraakt.
Hij ziet er heel gevaarlijk uit.
Charlie kijkt om zich heen.
Eenoor is nergens te zien.
Soms zie je hem dagen niet.
En soms is hij er elke dag.
Dan jaagt hij de buurt
de stuipen op het lijf.
Ik moet goed opletten, denkt Charlie.
Hij spuit een straaltje pis
tegen de stenen.
Verder maar weer, denkt hij.
Elke dag maakt hij zijn rondje
door de buurt.
Op zoek naar nieuws.

En om zijn geurtjes aan te brengen.
Dan weten andere katten dat hij bestaat.
Charlie ruikt aan een stuk golfplaat.
Dit geurtje ken ik nog niet, denkt hij.
Zou er een nieuwe kat in de buurt zijn?
Hij ruikt verder, maar hij komt de geur
niet meer tegen.
Soms is het een kat op doortocht.
Hij ruikt wel de geur van Mimi
aan een steen op het dak.
Die heeft hij nog nooit
zo dicht bij zijn huis geroken.
Zou Mimi hem gezocht hebben?
Zou ze hem aardig vinden?
Mimi, denkt Charlie dromerig,
terwijl hij naar een meeuw
op het dak kijkt.
De meeuw is niet bang voor Charlie.
Hij weet dat hij veel te groot is
voor zo'n katje als Charlie.
Toch springt Charlie op hem af.
De meeuw vliegt op.
Charlie kijkt hem na.
Hoe doen die beesten dat toch,
denkt hij.
De meeuw fladdert boven hem.

Dan bedenkt hij dat hij Dikkie al een tijd
niet gezien heeft.
Zou er iets met hem gebeurd zijn?
Dikkie woont hier nog niet zo lang.
Hij is even oud als Charlie
en soms stoeien ze met elkaar.
Charlie loopt naar het huis van Dikkie.
Vanaf de vensterbank
kijkt hij naar binnen.
Daar ligt Dikkie op de bank.
'Miauw,' zegt Charlie.
Dikkie kijkt op en komt van de bank.
Hij is blij dat hij Charlie ziet.
Hij gaat bij het raam zitten.
'Ik mag mijn huis niet meer uit,'
zegt Dikkie droevig.
'Waarom niet?' vraagt Charlie.
'Vorige week had ik ruzie met Eenoor.
Toen ben ik van het dak gevallen.
Ik heb mijn pootje verstuikt.
Ik had ook een kras op mijn snuit.
Die Eenoor is zo sterk als een leeuw.
Mijn baasje schrok heel erg.
En nu mag ik niet meer naar buiten.
Hij is zo bezorgd, hè?'
'Wat naar voor je,' zegt Charlie.

‘Ik kom je wel af en toe opzoeken.’
‘Graag,’ zegt Dikkie,
‘want ik voel me wel eenzaam.’
‘Dat snap ik,’ zegt Charlie, terwijl hij
in Dikkies droevige ogen kijkt.
‘Hou je taai, Dikkie,’ zegt hij.
Hij springt van de vensterbank
en loopt terug naar huis.
Hij is weer veel te weten gekomen
over het nieuws in de buurt.

3. Kat en hond

Pluis en Alex lopen op straat.
Het is een mooie dag.
Alex wandelt graag,
want dan kan hij goed nadenken.
'Waar denk je nu weer aan?'
vraagt Pluis.
'Over iets wat ik las in mijn boek,'
zegt Alex.
'Weet je wat er stond?'
'Nou?' vraagt Pluis.

‘Mensen zeggen dat een kat
negen levens heeft.
Dat stond er.’
‘Hoeveel levens heb ik dan al gehad?’
vraagt Pluis.
‘Wie weet is dit mijn laatste leven.’
Ze gaat zitten en krabt haar schouder.
Ze staart voor zich uit en krabt opnieuw.
‘Wie zal er op Charlie letten
als ik er niet meer ben?’ zegt ze.
‘Kom op, Pluis,’ zegt Alex.
‘Het zijn maar praatjes, hoor.’
‘Maar als het nou waar is,’ zegt Pluis.
‘Ik weet een goed voorbeeld,’ zegt Alex.

‘Een kat kan van heel hoog vallen.
Zonder iets te breken.
Een ander dier zou dood zijn.
Een kat moet dus wel meer dan
één leven hebben.’
Ben je al die negen levens een kat?
denkt Pluis.
Of kun je in een van die levens ook
een vogel zijn of ...
‘Woef!’ hoort Pluis.
Ze kijkt bang op.
Aan het eind van de straat staat
een grote hond.
‘Woef!’ blaft hij nog een keer.
Hij rent op Pluis af.
‘Pluis, kom!’ roept Alex.
Hij steekt de straat over.
Maar Pluis komt niet.
Ze gaat hoog op haar poten staan.
Ze kromt haar rug.
Haar haren staan recht overeind.
Ze draait.
Ze staat nu met haar zijkant
naar de hond toe.
Zo wil ze groter lijken,
om indruk te maken.

Ze rent niet weg.
Anders zou de hond achter haar aan gaan.
Pas maar op, denkt Pluis.
Ik ben zo sterk als een leeuw.
Als ze maar niet gaan vechten,
denkt Alex.
De hond blijft voor Pluis staan.
Hij kwispelt met zijn staart.
Hij snuffelt aan Pluis.
Pluis blaast boos.
De hond hapt naar haar.

Dan schiet de rechterpoot van Pluis uit.
Ze geeft het beest een paar snelle halen
over zijn neus.
De hond blaft en kermt.
'Ik zei het je toch: ik ben een leeuw,'
blaast Pluis.
De hond wil Pluis bijten.
Pluis gromt nu ook als een leeuw.
Ze springt de hond in zijn nek.
De hond jankt en Pluis krijst.
Plukken haar vliegen in het rond.
De hond schudt zich heftig
en Pluis springt van hem af.
De hond maakt zich uit de voeten.
Hij heeft zijn staart tussen zijn poten.

Pluis kijkt hem na.
Alex staat te trillen op zijn benen.
Het was een spannend gevecht.
'Negen levens of niet,' zegt Pluis.
'Dit leven verdedig ik goed.'

4. Naar de winkel

'Kom op, Charlie,' zegt Alex.
'We gaan naar de winkel.'
Charlie ligt op de verwarming.
Zo blijft hij lekker warm.
Charlie kijkt op.
Alex trekt zijn jas aan en pakt een tas.
Charlie staat op en geeuwt.
Hij spert zijn bek ver open.
Charlie rekt zijn rug en geeuwt nog eens.
Dan springt hij via de tafel op de grond.
Hij rent de gang in.
Hij is eerder bij de deur dan Alex.
'Schiet eens op, treuzel niet zo,' zegt hij.
'Ik sta hier al een eeuw te wachten.'
'Ja, ja, kalm aan,' zegt Alex.
Hij doet de deur open.
Charlie blijft op de drempel staan.
Hij kijkt naar links en naar rechts.
Dan springt hij onder
een stilstaande auto.
Warner loopt langs.
Hij zit bij Alex in de klas.
'Is die kat van jou?' vraagt hij.
'Ja,' zegt Alex.

‘Hoe heet hij?’ vraagt Warner.
‘Charlie,’ zegt Alex.
‘Charlie?’ vraagt Warner verbaasd.
‘Wat een rare naam.’
Hij lacht en loopt door.
Alex snapt niet waarom Warner lacht.
Alex is gek op katten.
Warner houdt van ridders.
Daar had hij een spreekbeurt over.
Dan loopt Alex weer door.
Het is rustig op straat.
Charlie kruipt onder de auto vandaan.
Hij huppelt over de stenen
en ruikt nieuwsgierig aan een plantenbak.
Hij steekt over als Alex oversteekt.
Hij let goed op of er gevaar dreigt.
Bij het minste geluid blijft hij staan.
Zijn staart gaat omlaag.
Hij zakt een beetje door zijn poten
en kijkt om zich heen.
Spannend, hoor!
Hij loopt langs de huizen en de auto’s.
Auto’s die stilstaan, zijn veilig.
Rijdende auto’s zijn een groot gevaar.
Charlie is een rare kat, denkt Alex.
Hij loopt met me mee als een hondje.

Ziet hij me als zijn moeder
die op jacht gaat?
Nou ja, zo gek is dat niet.
Naar de winkel gaan, is ook buit halen.

De winkel is in een drukke straat.
Charlie durft niet verder.
Hij verstopt zich weer onder een auto.
Alex gaat de winkel in.
Als hij alles heeft gekocht, denkt hij:
Het was een goede jacht.
Buiten fluit hij tussen zijn tanden.
Charlie kruipt onder de auto vandaan.
Hij huppelt met Alex mee terug naar huis.
Zijn staart staat opnieuw recht omhoog.
Gezellig hoor, winkelen met Charlie.

BROOD
1.10
per stuk
3 halen 2 betalen
5.90
IN

5. Wat is dat?

Charlie is heel nieuwsgierig.
Alex kan bijna horen dat hij denkt:
'Wat is dat?'
In de kamer staat een vreemde doos.
Charlie loopt er meteen op af.
Hij snuffelt aan het karton,
kijkt in de doos.
Wat is dat? denkt hij.
Daar ben ik wel benieuwd naar.
Hij springt in de doos.
Hé, daar kun je in zitten.
Charlie ruikt aan de binnenkant.
Hij draait rond in de krappe ruimte.
Hij wil de doos van alle kanten
leren kennen.
Na een tijdje is de doos bekend.
Hij blijft een tijdje in de doos zitten.
Zijn koppie steekt net boven de rand uit.
Hij denkt: Hier kun je dus in zitten.
Hij kijkt de kamer rond en geeuwt.
Er zijn leukere plekjes om te zitten.
Hij snuffelt opnieuw aan de doos.
Die ken ik nu wel, denkt hij.
Lenig springt hij uit de doos.

De bel gaat.
Alex' moeder doet open.
Ze komt terug met een vriendin.
Die legt haar jas op de stoel.
Charlie gaat er meteen op af.
Hij ruikt aan de jas en gaat erop liggen.
'Charlie,' fluistert Alex.
'Dat kun je beter niet doen.
Zo komen er haren op de jas.'
Charlie trekt zich er niets van aan.
'Dit is een lekker zacht plekje
om te liggen,' zegt Charlie.
'Charlie!' roept Alex' moeder.
'Ga van die jas af!'
'Waarom schreeuwt ze zo?'
vraagt Charlie.
'Ik had het toch al gezegd,' zegt Alex.

Charlie gaat naar de tas van de vriendin.
Die staat op de vloer.
Ik wil weten wat daar in zit,
denkt Charlie.
Hij snuffelt eerst aan de buitenkant.
De tas staat open.
Charlie steekt zijn kop erin.
'Charlie, doe nou niet,' zegt Alex.

'Waarom niet?' vraagt Charlie
met zijn kop in de tas.
De tas valt om.
De spullen rollen over de vloer.
'Charlie, laat dat!' roept Alex' moeder.
'Je mag niet in iemands tas kruipen.'
'Zie je, daar heb je het weer,'
zegt Alex.
'Mensen worden snel boos,' bromt Charlie.
'Ik mag ook niets.'
Alex moet lachen.
Hij snapt het wel.
Charlie wil de tas leren kennen.
Hij moet aan alle dingen ruiken.
Hij moet er even op liggen.
Dan hoeft hij niet meer te vragen:
wat is dat?
Dit is leuk voor een verhaal
in mijn krant, denkt Alex.
Hij gaat naar zijn kamer.
En schrijft alles op.

6. Winter

Het is winter.
In de tuin ligt een laagje sneeuw.
De eerste sneeuw in Charlies leven.
Hij zet een pootje in de sneeuw.
Ai, dat is koud.
Hij trekt zijn pootje terug
en schudt de sneeuw eraf.
Hij probeert het nog een keer.
Eerst de rechtervoorpoot.
Dan de linker.
'Wat is dat voor raar spul?'
vraagt hij aan Alex.
'Dat is sneeuw,' zegt Alex.
'Nou, ik vind het niks,' zegt Charlie.
'Waar komt dat spul vandaan?'
'Uit de wolken,' zegt Alex.
'Net als regen.'
Charlie loopt snel de keuken in.
'Ben je bang voor sneeuw?' vraagt Pluis.
'Je bent nog echt een klein, bang katje.'
Pluis is wel aan sneeuw gewend.
Als ze buiten loopt, zie je alleen
bruine en zwarte vlekken.
Want de rest van Pluis is wit.

Pluis vindt sneeuw wel leuk.
Je kunt er lekker in graven.

Charlie zit alweer voor het raam.
Dat vindt hij nu fijner dan buiten.
Op straat is veel te zien.
Een jongen maakt een sneeuwpop.
Hij rolt de sneeuw tot een bal.
Charlie let goed op.
Er suist een sneeuwbal door de lucht.
Charlie kijkt hem na.
Totdat de bal uit elkaar spat
op het hoofd van een jongen.
Daar gaat er weer een.
Charlies kop gaat heen en weer.
Alsof hij naar tennis kijkt.

'Ik vind spelen wel leuk,' zegt Charlie.
'Maar niet met dat koude spul.'
'Je moet er nog aan wennen,' zegt Alex.
'Kijk maar naar Pluis.
Die durft het wel.'
'Oké,' zegt Charlie.
'Ik probeer het nog een keer.
Maar dan op straat.
Niet bij Pluis, want ze doet stom.'

Alex en Charlie gaan naar de deur.
Charlie steekt een pootje naar buiten.
Hij zet het in de sneeuw.
'Wat is het koud,' zegt hij.
'Kom op, Charlie,' zegt Alex.
Charlie zet zijn andere pootje buiten.
Dan vliegt er een sneeuwbal door de lucht.
Hij raakt Charlie op zijn kop.
Charlie schrikt.
In één sprong is hij weer binnen.
Hij schudt de sneeuw van zijn kop.
'Wat een stom spul,' zegt hij.
'Zeg het maar als het weg is.
Dan pas ga ik weer naar buiten.'

10

7. Een spreeuw als ontbijt

Alex wordt wakker en ziet
een vogel naast zijn bed.
Hij wrijft zijn ogen goed uit
en kijkt nog eens goed.
De vogel staat er nog steeds.
Wat doet die spreeuw hier? denkt Alex.
Twee meter verderop zit poes Pluis.
Ze kijkt naar Alex en dan naar de vogel.
Ze zegt: 'Kijk eens, een lekkere vogel.
Voor mij is hij te dik.
Maar voor jou is hij wel goed.
Jij bent nogal dom
in het vangen van dieren.
Daarom heb ik mijn prooi
naast je bed gezet.
Eet maar lekker op.'

'Dankjewel, Pluis,' zegt Alex.
'Maar ik heb liever brood als ontbijt.'
De spreeuw ziet er niet gezond uit.
Hij kijkt sloom uit zijn ogen.
Hij doet een stap en valt om.
Een vleugel hangt slap naar beneden.
Alex stapt zijn bed uit.

Hij pakt een doos en legt de spreeuw erin.
Pluis zegt boos:
'Heb ik daar al die moeite voor gedaan?'
'Het was lief, hoor Pluis,' zegt Alex.
'Maar de vogel is ziek, kijk zelf maar.'
De spreeuw ligt op zijn zij in de doos.

Alex brengt de spreeuw naar de dierenarts.
Die kijkt naar de spreeuw en zegt:
'Hij kan niet meer beter worden.
Laat hem maar hier.'
Dat doet Alex.

Thuis aait hij Pluis over zijn kop.
'Hoe kon ik nou weten
dat die vogel ziek was?' vraagt Pluis.
'Ik was blij dat ik weer eens
een vogel te pakken had.'
Alex moet lachen.
Pluis is te oud en te langzaam
om gezonde vogels te vangen.
'Kom maar,' zegt Alex,
'dan zal ik jou wat te eten geven.'
Ze lopen naar de koelkast.
Alex haalt er een stukje kip uit.
Hij legt het in het bakje van Pluis.

SMEG

‘Eet maar lekker,’ zegt Alex.
Pluis begint meteen te smullen.
‘Mmm,’ zegt ze,
‘dat smaakt beter dan die spreeuw.’

8. Kopjes geven

Alex staat in de kamer.
Hij kijkt naar buiten.
De sneeuw is weg.
Een grijze kat loopt in de dakgoot.
Hij is niet bang om eruit te vallen.
Alex stelt zich voor dat hij
in de dakgoot loopt.
Ik zou bang zijn, denkt hij.
Ik heb wel hoogtevrees.
Maar een kat hoeft niet bang te zijn.
Hij kan goed zijn evenwicht bewaren.
Zo'n dakgoot is kinderspel.
Een kat heeft klauwen
om zich vast te grijpen.
Hij heeft een staart voor zijn evenwicht.
Alex schrikt en schreeuwt.
Charlie is vanaf de tafel
op zijn schouder gesprongen.
'Wil je dat niet meer doen,' zegt Alex.
'Sorry, hoor,' zegt Charlie.
'Ik wilde je niet laten schrikken.
Zal ik weer weggaan?'
'Nee, blijf nu maar zitten,' zegt Alex.
Charlie spint.

Hij duwt zijn kop tegen Alex' gezicht.
Hij wiebelt op zijn schouders.
Dan steekt hij een pootje uit.
Hij duwt het tegen de wang van Alex.
'Draai je gezicht eens,' zegt Charlie.
'Dan kan ik beter bij je kin en je neus.'
'Waarom wil je dat?' vraagt Alex.
'Dat vind ik fijne plekjes.
Vooral je neus.
Daar kun je zo lekker in bijten.'
'Als je het maar laat,' zegt Alex.
'Ik zal het heel zacht doen, hoor,'
zegt Charlie.
Hij wiebelt weer.
'Het valt niet mee om jou kopjes
te geven,' zegt Charlie.
'Je kop zit te hoog.'
Alex gaat op zijn hurken zitten.
Charlie springt van zijn schouder.
Hij zet zijn voorpoten op Alex' knie.
En duwt zijn natte neus tegen
Alex' gezicht.
'Ja,' zegt Charlie, 'zo gaat het beter.'
'Mensen geven elkaar ook kopjes,'
zegt Alex.
'Dat noemen ze kussen.'

9. Spinnen

Het is Nieuwjaar.
De vakantie is bijna voorbij.
Alex leest weer in zijn boek.
'Ik weet wel genoeg
voor mijn spreekbeurt,' zegt hij.
'En mijn krant is ook bijna klaar.
Maar één ding wil ik nog weten.
Hoe spinnen jullie?'
'Houd nu eens op,' zegt Pluis.
'We kunnen beter lekker gaan knuffelen.'
'Ik wil het graag weten,' zegt Alex.
'Jullie willen toch ook alles weten?'
'Alles op zijn tijd,' zegt Pluis.
Alex legt zijn boek weg en pakt Pluis op.
Hij aait hem onder zijn kin.
'Mmm,' zegt Pluis, 'dat is lekker.'
Alex legt zijn oor op de buik van Pluis.
Het gespin klinkt heel hard.
Charlie springt bij Alex op schoot.
Ook hij spint keihard.
'Ik weet niet hoe jullie het doen,'
zegt Alex.
'Maar het is een heel fijn geluid.'

Wil je meer lezen over Warner die zo van ridders houdt op pagina 25? Lees dan 'Ik wil later ridder worden'.
Warner speelt vaak dat hij een ridder is. Als hij later groot is, wil hij ridder worden. Zou dat kunnen?
Zijn klasgenootjes denken van niet ...

In deze serie zijn de volgende Bikkels verschenen:

De kattenkrant
Ik wil later ridder worden
Bang voor meisjes
Zingen op tv
De badauto
Actie aan de kust
Een zomer met mama
De toversmid

LEESNIVEAU

	ME	ME	ME	ME	ME		
AVI	S	3	4	5	6	7	P
CLIB	S	3	4	5	6	7	8	P

katten

Toegekend door Cito i.s.m. KPC Groep

1e druk 2007

ISBN 978.90.276.7247.6
NUR 282

Illustraties: Marja Meijer
Vormgeving: Rob Galema
Uitgeverij Zwijsen B.V., Tilburg

Voor België:
Zwijsen-Infoboek, Meerhout
D/2007/1919/446